Reviens Dédé, reviens !

HACHETTE Jeunesse

À l'école, les copains étudient la métamorphose des chenilles en papillons.

– Pour nous les renards, pas besoin de cocon ! On est beau et grand dès la naissance ! fanfaronne Dédé.

– Froussard et gros bébé, tu veux dire ? se moque Noémie.

– Un jour, vous verrez que je suis le plus grand de toute la classe !

– Pourquoi pas tout de suite, Monsieur Fortiche ? le taquinent ses amis.

– Vous voulez parier ? marmonne Dédé. Et bien topez-là !

Sur le chemin du retour, Dédé passe devant chez Noémie. Sophia,
l'aînée de la famille, sort de la maison en furie.

– Je ne suis plus une petite fille, Papa ! Demande donc à Noémie
de mettre la table ! Pas à moi ! Vivement qu'un garçon m'emmène
loin d'ici !

Dédé est ébahi. Quel caractère, cette Sophia !

Cette dispute vient de lui donner une grande idée !

Il se précipite vers la jeune souris, qui s'est assise non loin de lui.

– Moi, je t'emmènerai ! Parole de Dédé ! lui lance-t-il, très fier.

Sophia lui sourit gentiment et continue son rêve à voix haute :

– Il construira une belle charrette, et nous partirons dans la forêt…

Dédé hoche la tête : c'est promis !

Sophia, amusée, lui donne un baiser sur le front. En la regardant
s'éloigner vers le pont-neuf, Dédé sent son cœur battre la chamade.

Boum, boum, boum !

Le lendemain, la classe du Vieux Chêne est ravie d'apprendre la nouvelle :
les chenilles tissent leur cocon !

À la fin de sa leçon, le Vieux Chêne demande à Jeff :

– Peux-tu apporter ses devoirs à Dédé, s'il te plait ? Il doit être malade…

– Oui, bien sûr, Monsieur ! répond Jeff, empressé.

Mais sur le chemin du retour, une surprise attend les copains :

Dédé, très bien portant, arrive en sautillant gaiement…

– Salut, les p'tits amis ! annonce-t-il d'une voix ferme. Dans deux jours, je pars avec Sophia.

– Quoi ? couine Noémie. Tu pars avec ma grande sœur ?

– Oui, j'ai écrit à mon père et on va habiter chez lui, dit Dédé en sortant une enveloppe de sa poche. L'amour me donne des ailes ! Écoutez !

Les copains collent leurs oreilles contre le cœur de Dédé et n'en reviennent pas. Boum, boum, boum ! C'est bien l'amour qui bat là !

– Il faut l'empêcher de partir ! bredouille Noémie, affolée, quand Dédé est parti. Allons interroger Sophia !

– Pendant ce temps-là, Jeff et moi, on va lui parler ! décide Achille.

Suivi par ses deux copains, Dédé confie sa lettre à un pigeon voyageur.

– Je m'occupe du facteur, Achille ! s'écrie-t-il en poussant le marcassin vers Dédé. Toi, ne quitte pas des yeux l'amoureux. Compris ?

Jeff parvient facilement à attirer l'oiseau. Il ne reste plus qu'à détacher la lettre. Bravo, Jeff !

Pendant ce temps, Achille suit Dédé jusqu'à l'atelier de Roger, le sanglier. Le renardeau est venu emprunter du bois et des outils pour construire sa charrette.

De leur côté, Noémie et Gladys arrivent essoufflées dans la chambre de Sophia. Celle-ci est occupée à remplir une grosse valise !

C'était donc vrai ! Quelle catastrophe ! Dédé s'en va… avec Sophia !

Heureusement, Sophia explique toute l'histoire aux deux amies affolées. La dispute, la gentillesse de Dédé,…

– Quel nigaud, ce renardeau ! se moque la jeune souris.

– Pauvre Dédé, dit Gladys consternée, il est juste un peu rêveur.

Il sera bien triste quand il comprendra son erreur !

– Oh, Sophia ! supplie Noémie. Je te promets de mettre la table un mois entier si tu nous aides à l'arrêter !

Les copains réfléchissent à un plan.

– Je crois que tu as mangé assez de tartelettes, conseille Noémie à Gladys.

– Tu sais, moi, plus on me dit d'arrêter, plus je continue, répond
la gourmande.

– La voilà, la solution ! s'écrie Achille. Il suffit de dire à Dédé qu'il peut
partir et il fera le contraire. Merci Gladys ! On a trouvé ! Tous chez Dédé !

Le renardeau voit débarquer ses amis avec appréhension.

– Pas de panique, Dédé ! s'écrie Jeff, en tête du groupe. On vient t'aider !

Avec l'aide de Roger, les trois garçons finissent de construire la charrette.

Noémie et Gladys se chargent des bagages et des provisions.

– Sophia est très difficile ! explique-t-elle au futur aventurier.

Elle ne se nourrit que de champignons très rares et donc très difficiles

à trouver…

Dédé, n'écoutant que son cœur, part à la recherche du menu préféré de sa bien aimée. Pour l'instant, le plan des copains fonctionne parfaitement ! Mais Dédé n'est pas au bout de ses peines !
Alors qu'il rentre exténué et toujours bredouille de sa cueillette, il aperçoit une affiche collée sur un tronc d'arbre. Le pauvre manque s'évanouir. C'est le portrait d'un loup surmonté d'une tête de mort !

– Des loups ! Où ça ? bredouille Dédé, apeuré.

– Juste à la lisière de notre forêt ! Même les grands doivent se méfier ! répond Jeff en surgissant de nulle part.

Cette affiche fait aussi partie du plan. Jeff s'est beaucoup appliqué pour la dessiner. Gladys et Noémie l'ont trouvée très réussie.

Devant la charrette prête au départ, Dédé est accueilli en triomphe par ses amis. Il ouvre ses cadeaux en tremblant :

– Une boussole, pour ne pas me perdre… Des bottes géantes pour les marais !

Gladys s'approche et donne une miche de pain à son copain.

– Tu penseras à moi en la mangeant…

C'est alors que Noémie récite avec émotion un poème de sa composition :

– *Tu vas vivre loin de nous, Dédé doudou !*

Avec les poux, la boue et surtout les loups !

Juchée sur le véhicule, Sophia s'impatiente. Dédé la regarde inquiet.

Elle lui paraît un peu vieille, tout à coup.

Alors, soudain, le renardeau s'exclame en se tapant le front :

– J'ai failli oublier : j'ai promis à Maman de garder mon petit frère !

Je ne peux plus partir ! En plus je crois que je ne suis plus amoureux,

confie-t-il à ses copains. Écoutez mon cœur…

L'oreille collée contre sa poitrine, les copains confirment un par un.

Soudain, Dédé s'affole à nouveau. La lettre ! La lettre envoyée à son père !

– Pas de souci, dit Jeff en l'extirpant de sa poche.

Le lendemain, à l'école, l'éclosion des papillons a commencé !

Du cocon de la chenille, Dédé sort un magnifique papillon orange.

Il défroisse ses ailes et s'envole sous les yeux émerveillés des enfants.

Dédé sourit et applaudit : si c'est pour devenir aussi grand et beau,

ça vaut la peine d'attendre le temps qu'il faut !